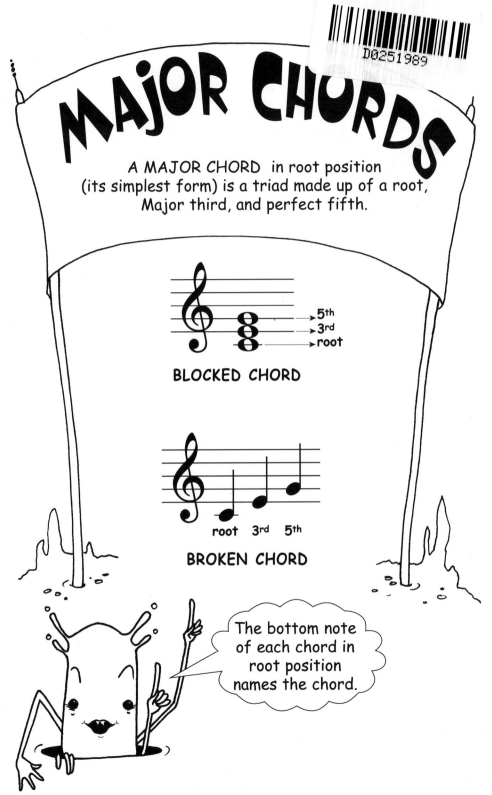

MAJOR CHORDS

A MAJOR CHORD in root position
(its simplest form) is a triad made up of a root,
Major third, and perfect fifth.

→ 5th
→ 3rd
→ root

BLOCKED CHORD

root   3rd   5th

BROKEN CHORD

The bottom note
of each chord in
root position
names the chord.

GROUP 1 KEYS: C, G, F

The **Group 1 Keys** have
the same pattern
in their Major chords:

White Key

White Key

White Key

C E G   G B D   F A C

C Major   G Major   F Major

A. Name each Major chord.

1. _C Major_   2. _____

3. _____   4. _____

B. Write each Major chord.

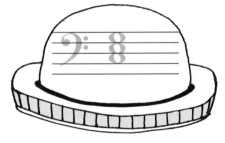 

1. C Major   2. G Major

3. F Major   4. C Major

4

Name each chord to complete the words and finish the sentences.

___G___ rab your coat and mittens please,
1.

it's snowing outside, it's going to

_____reeze!
2.

1. _G Major_

2. _____

_____ake and ice cream are the
3.

best, to serve to all the birthday

_____ uests.
4.

3. _____

4. _____

The tabby _____at
5.

was orange and

red, very large and over-

_____ ed.
6.

5. _____

6. _____

_____oing to the beach is
7.

fun, fun, fun! Swimming,

7. _____

8. _____

sand _____astles...sun, sun, sun!
8.

Draw lines connecting each chord with its name.

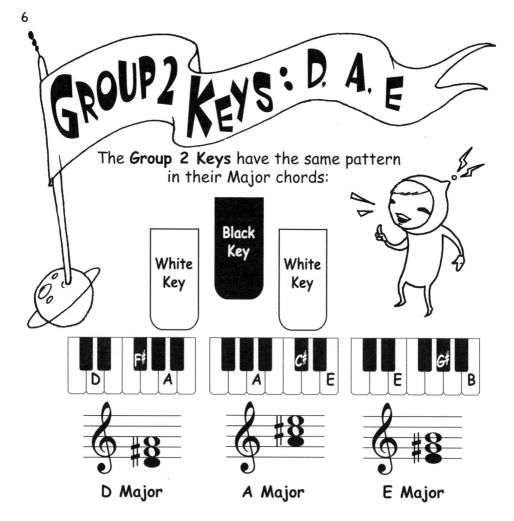

GROUP 2 KEYS: D, A, E

The **Group 2 Keys** have the same pattern in their Major chords:

White Key · Black Key · White Key

D Major   A Major   E Major

Name each Major chord.

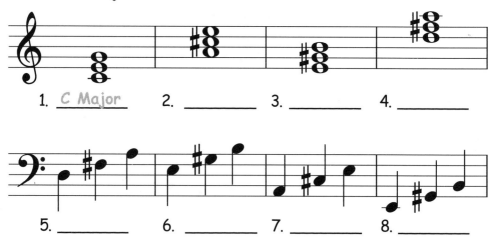

1. _C Major_   2. _____   3. _____   4. _____

5. _____   6. _____   7. _____   8. _____

Write the letter names of each Major chord on
the keyboards below.

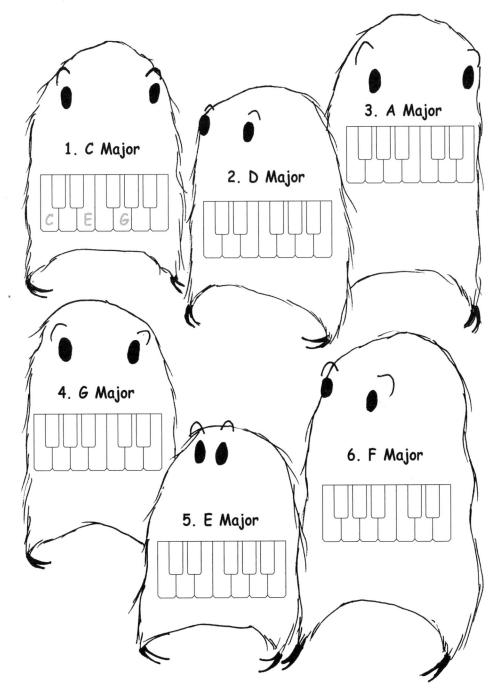

1. C Major

2. D Major

3. A Major

4. G Major

5. E Major

6. F Major

A. Write each Major chord.

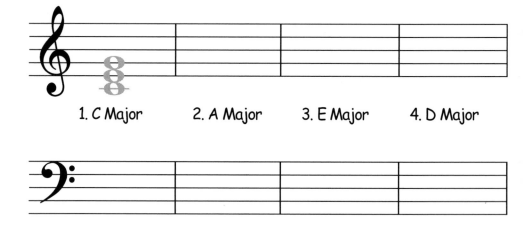

1. C Major   2. A Major   3. E Major   4. D Major

5. F Major   6. A Major   7. G Major   8. D Major

B. Spell each Major chord.

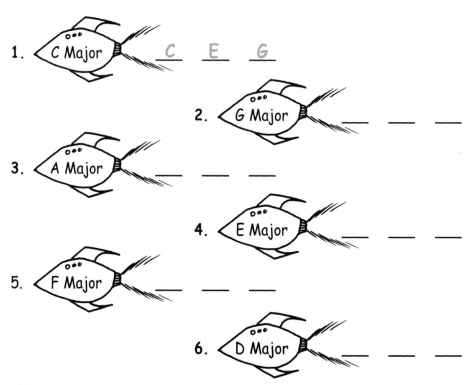

1. C Major   <u>C</u>   <u>E</u>   <u>G</u>

2. G Major   ___ ___ ___

3. A Major   ___ ___ ___

4. E Major   ___ ___ ___

5. F Major   ___ ___ ___

6. D Major   ___ ___ ___

CHORD SEARCH

A. Circle the letters to form these Major chords:

C · G · F · D · A · E

B. Draw a line connecting each chord spelling to its chord on the staff.

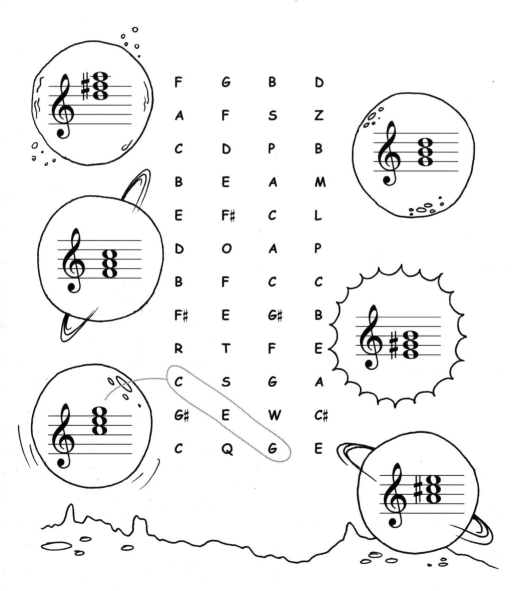

F	G	B	D
A	F	S	Z
C	D	P	B
B	E	A	M
E	F#	C	L
D	O	A	P
B	F	C	C
F#	E	G#	B
R	T	F	E
C	S	G	A
G#	E	W	C#
C	Q	G	E

GROUP 3 KEYS: Db, Ab, Eb

The **Group 3 Keys** have the same pattern in their Major chords:

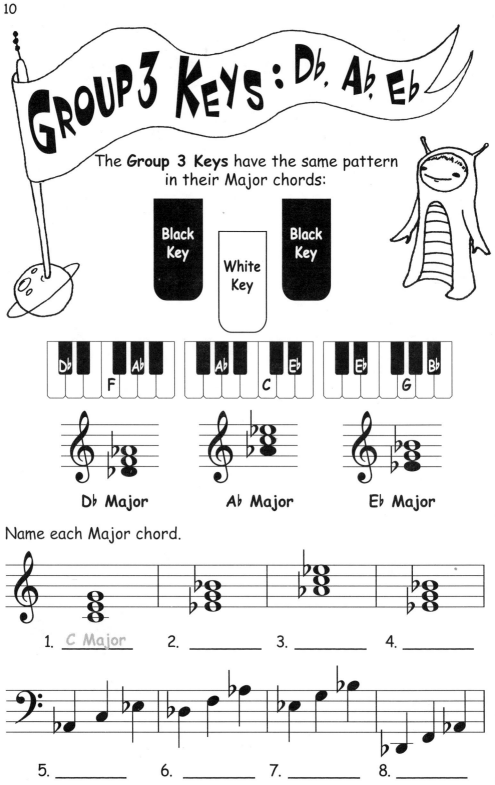

| Black Key | White Key | Black Key |

Db Major Ab Major Eb Major

Name each Major chord.

1. C Major   2. _____   3. _____   4. _____

5. _____   6. _____   7. _____   8. _____

MATCHING

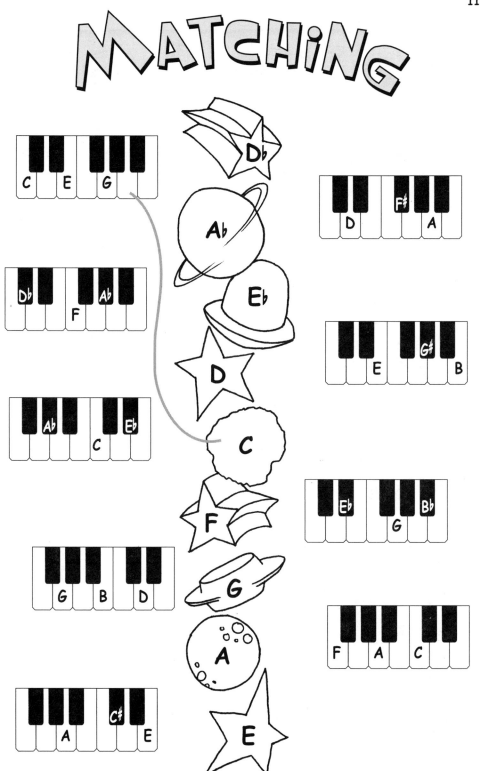

A. Write each Major chord.

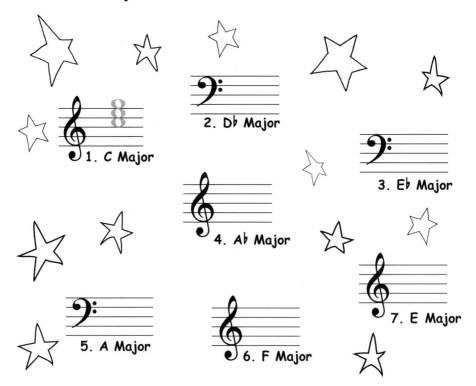

1. C Major

2. D♭ Major

3. E♭ Major

4. A♭ Major

5. A Major

6. F Major

7. E Major

B. Spell each Major chord.

1. C Major   _C_   _E_   _G_

2. E♭ Major   _____   _____   _____

3. G Major   _____   _____   _____

4. D Major   _____   _____   _____

5. F Major   _____   _____   _____

6. A♭ Major   _____   _____   _____

7. D♭ Major   _____   _____   _____

8. A Major   _____   _____   _____

9. E Major   _____   _____   _____

LOST iN OUTER SPACE!

Follow the correct spelling of Major chords to complete the maze.

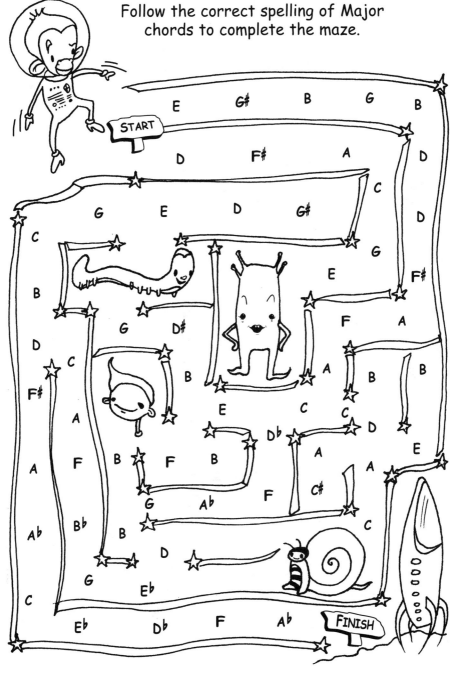

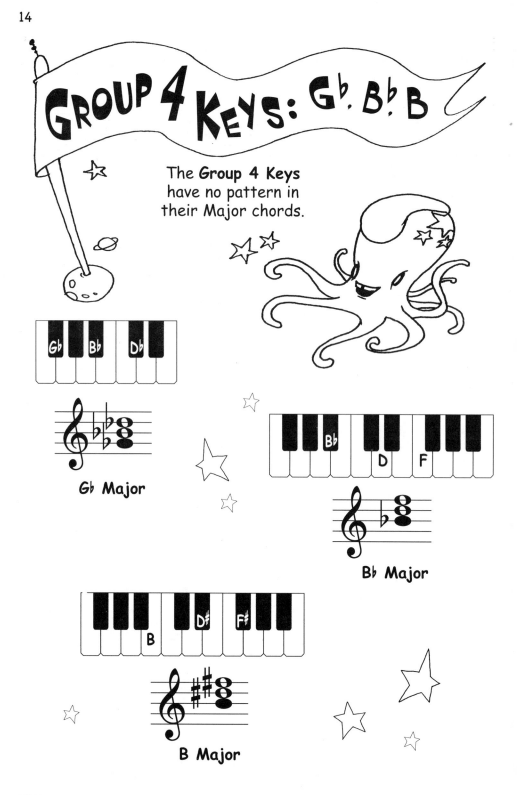

GROUP 4 KEYS: G♭, B♭, B

The **Group 4 Keys** have no pattern in their Major chords.

G♭ Major

B♭ Major

B Major

A. Name each Major chord.

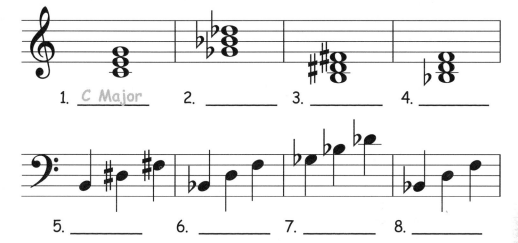

1. _C Major_   2. _____   3. _____   4. _____

5. _____   6. _____   7. _____   8. _____

B. Write the letter names for each group of keys.

1. Group 1 Keys   _C_   _G_   _F_

2. Group 2 Keys   ____ ____ ____

3. Group 3 Keys   ____ ____ ____

4. Group 4 Keys   ____ ____ ____

16

Name each Major chord.

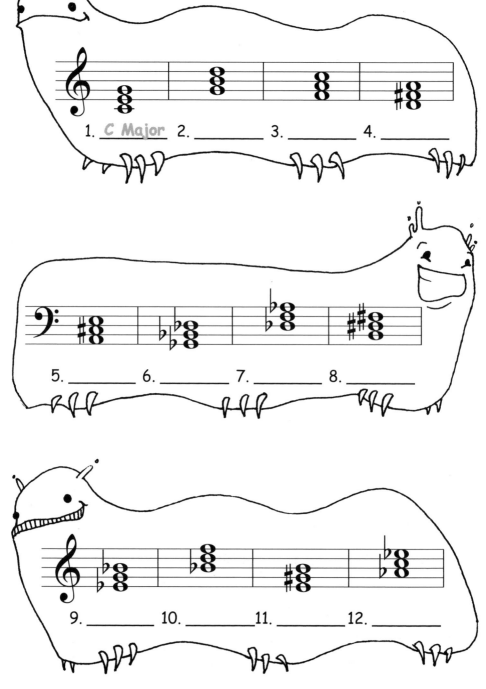

1. _C Major_ 2. _____ 3. _____ 4. _____

5. _____ 6. _____ 7. _____ 8. _____

9. _____ 10. _____ 11. _____ 12. _____

CHORD SEARCH

The letter names for the following Major chords can be found horizontally, vertically, or diagonally:

C · G · F · D · A · E · D♭ · A♭ · E♭ · B♭ · B · G♭.

C	C	D	B	G♭	A♭	C	D	F♯	A	E
D	B	E	F	A	D	B	G	P	O	Q
L	A	G♭	G	F	H	J	A	C	F	K
P	G	A♭	B	D♭	G	A♭	C	E♭	D	G
G	F	F♯	D♯	O	N	B	C♭	F	G♭	A
B	E	N	F♯	L	A	A	C♯	E	F♯	C
D	D	B	E	G♭	B♭	D♭	G	B	F♯	A
F♯	P	Q	Z	B	E	D	F	E	G♯	B
A♯	O	L	N	D	F	G	B	A	F	E
B	L	F	A	C	M	N	P	L	A	B
M	Q	A	C	F	A	B	D	B♭	D	F
E♭	G	B♭	H	D♭	F	A♭	D	C	C	F

KP19

18

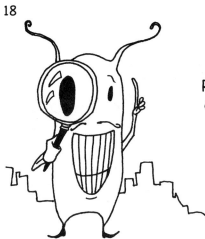

Read the clues below. Name and draw the correct Major chords in the staffs and blanks.

1. I am a chord with white keys. I could be one of three. (Draw all three.) C _ _ _	2. I am made up of 3 black keys. Who am I? _
3. I am from the GROUP 3 KEYS and my lowest note is A♭. Who am I?	4. I belong to the GROUP 4 KEYS and I have only one black key in my chord. Who am I? _
5. The top note of my chord is F♯. Draw the other 2 missing notes to build my chord. _	6. I belong to the GROUP 2 KEYS and my middle note is G♯ Who am I? _
7. I am from the GROUP 3 KEYS and my top note is B♭. Who am I? _	8. What do you think? Only one note is missing from my chord. Who am I? _

Add sharps or flats where needed to form Major chords.

1. D Major   2. B Major   3. E Major   4. C Major

5. B♭ Major   6. A Major   7. F Major   8. G Major

9. G♭ Major   10. D♭ Major   11. A♭ Major   12. E♭ Major

ENHARMONIC KEYS: C#, F#, Cb

The word **enharmonic** means two notes that have the same pitch but are **spelled** differently.

Db Major sounds the same as C# Major.

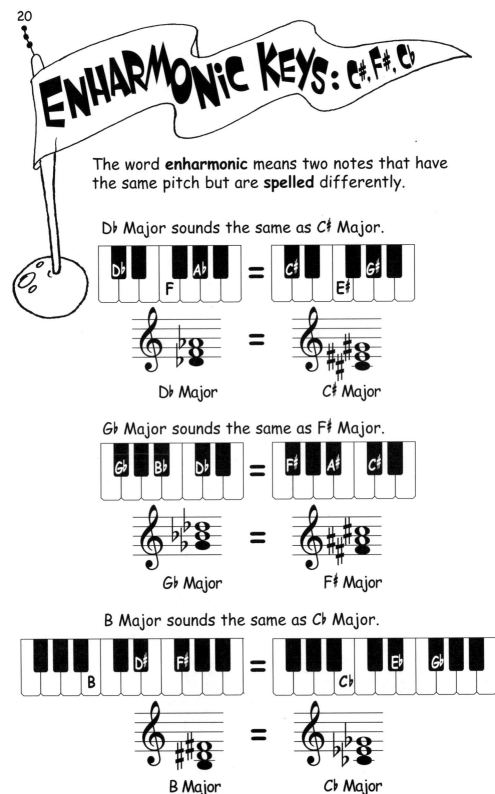

Db Major = C# Major

Gb Major sounds the same as F# Major.

Gb Major = F# Major

B Major sounds the same as Cb Major.

B Major = Cb Major

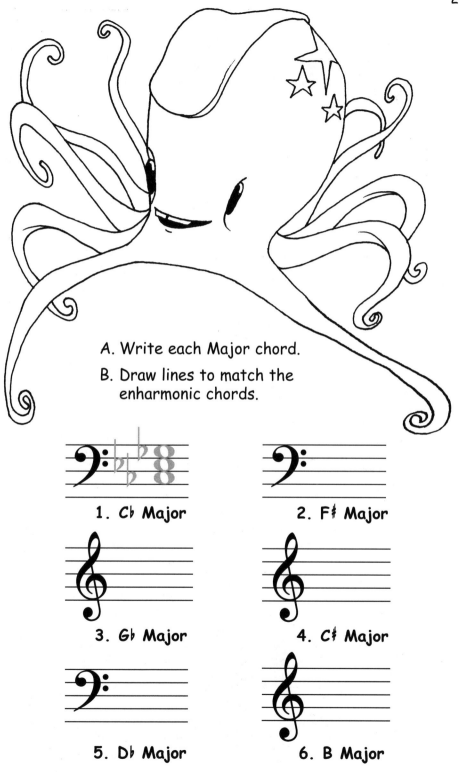

A. Write each Major chord.

B. Draw lines to match the enharmonic chords.

1. Cb Major

2. F# Major

3. Gb Major

4. C# Major

5. Db Major

6. B Major

Follow the correct spelling of Major chords in order to complete this maze.

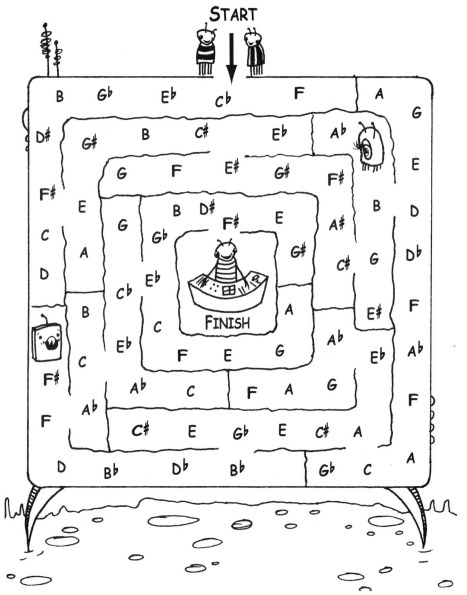

METEOR SHOWER

Fill in the missing notes and accidentals (sharps or flats) to form Major chords.

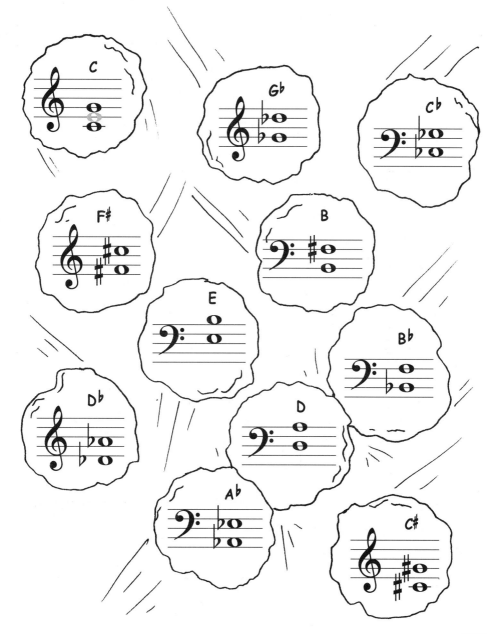

CHORD SPELLINGS

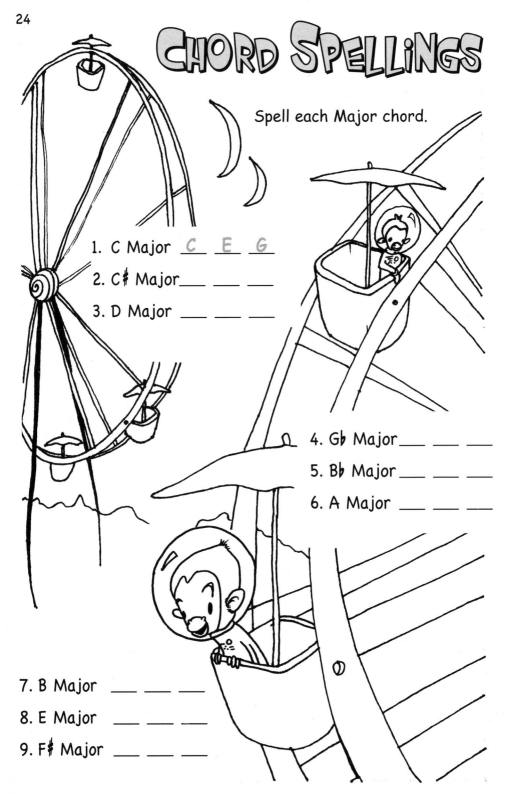

Spell each Major chord.

1. C Major   C   E   G
2. C♯ Major ___ ___ ___
3. D Major ___ ___ ___

4. G♭ Major ___ ___ ___
5. B♭ Major ___ ___ ___
6. A Major ___ ___ ___

7. B Major ___ ___ ___
8. E Major ___ ___ ___
9. F♯ Major ___ ___ ___

10. D♭ Major___ ___ ___

11. A♭ Major___ ___ ___

12. C♭ Major___ ___ ___

13. E♭ Major___ ___ ___

14. G Major ___ ___ ___

15. F Major ___ ___ ___

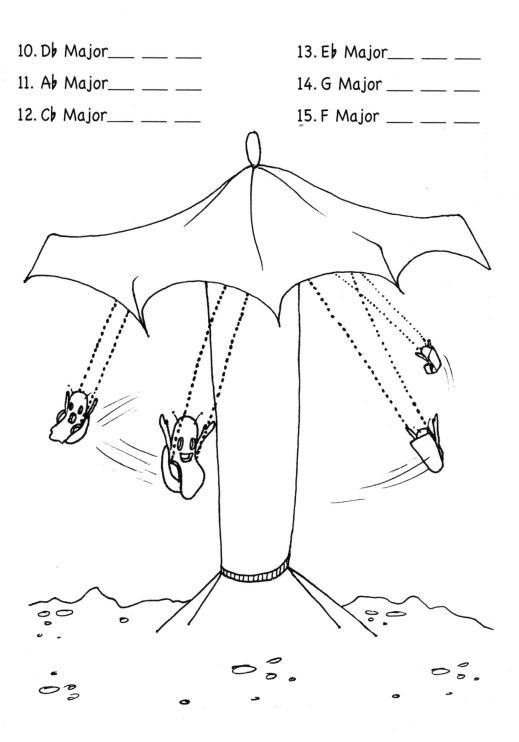

NAME EACH CHORD

1. _C Major_ 2. _____ 3. _____ 4. _____

5. _____ 6. _____ 7. _____ 8. _____

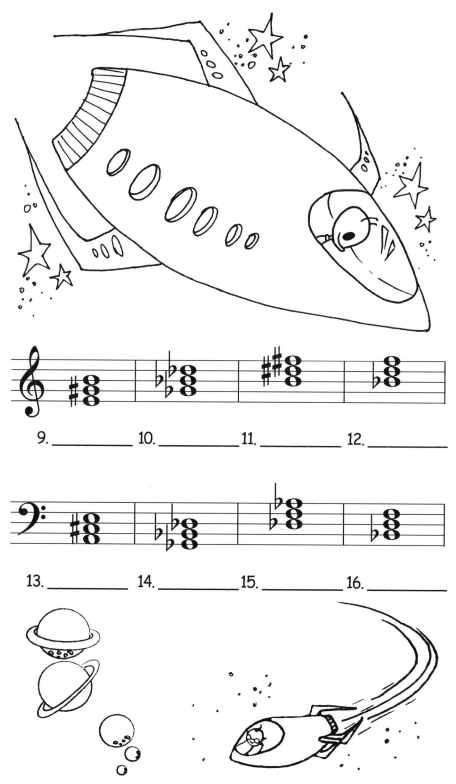

9. _____ 10. _____ 11. _____ 12. _____

13. _____ 14. _____ 15. _____ 16. _____

Spell each Major chord in order
to complete the crossword puzzles.

Across
1. B♭ Major
3. C Major
5. D Major
7. E Major
9. F♯ Major

Down
2. F Major
4. G Major
6. A Major
8. B Major
10. C♯ Major

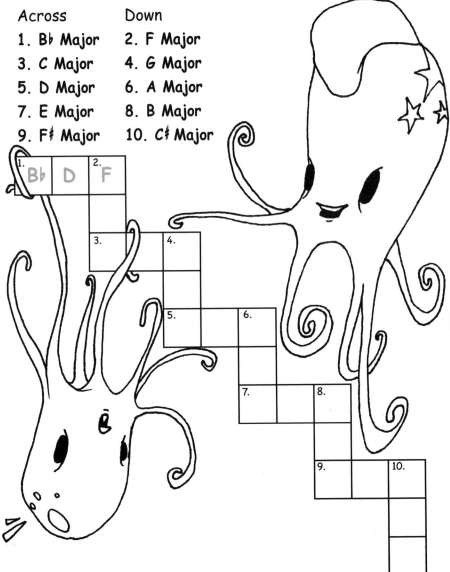

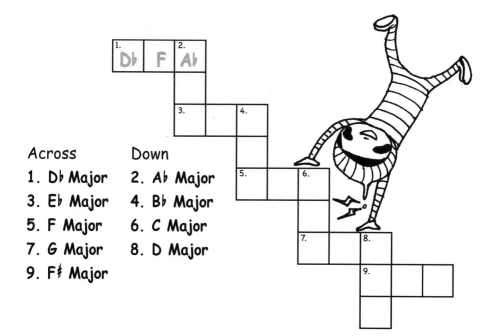

Across
1. Db Major
3. Eb Major
5. F Major
7. G Major
9. F# Major

Down
2. Ab Major
4. Bb Major
6. C Major
8. D Major

Across
2. Cb Major
4. Db Major
6. C Major
8. B Major
10. C# Major

Down
1. Ab Major
3. Gb Major
5. F Major
7. E Major
9. F# Major

30

Name each Major chord.

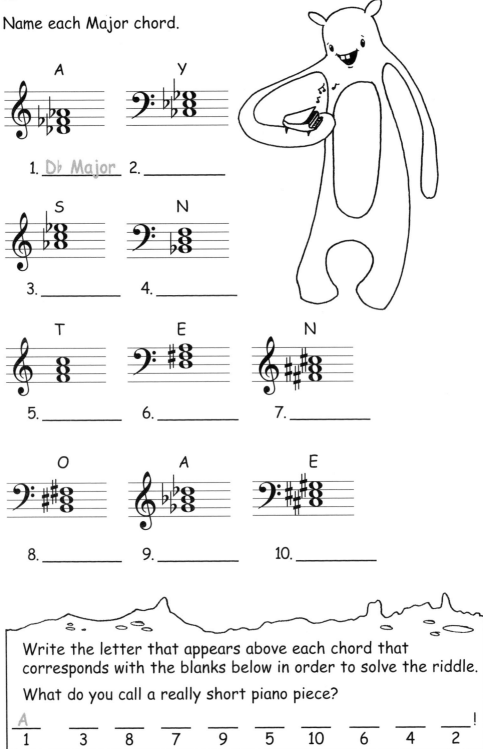

A

1. Db Major   2. _____

S   N

3. _____   4. _____

T   E   N

5. _____   6. _____   7. _____

O   A   E

8. _____   9. _____   10. _____

Write the letter that appears above each chord that corresponds with the blanks below in order to solve the riddle.

What do you call a really short piano piece?

A __ __ __ __ __ __ __ __ __ !
1   3   8   7   9   5   10 6   4   2

MAJOR CHORDS

Draw each Major chord. The given note is the root of each chord.

1. 2. 3.

4. 5. 6. 7.

8. 9. 10. 11.

12. 13. 14. 15.

Unscramble the letters below to spell the authors' final word to you!

GRSCONAUTLATION

_ _ _ _ _ _ _ _ _ _ _ _ _ _!

CONGRATULATIONS!

HAS LEARNED ALL THE MAJOR CHORDS ON THE STAFF!

YEAH!

TEACHER'S SIGNATURE

DATE